Le chant de Georges Boivin
est le cent quarantième ouvrage
publié chez
Dramaturges Éditeurs

Dramaturges Éditeurs
4401, rue Parthenais
Montréal (Québec) H2H 2G6
Téléphone : 514 527-7226
Télécopieur : 514 527-0174
Courriel : info@dramaturges.qc.ca
Site internet : www.dramaturges.qc.ca

Dramaturges Éditeurs choisit de respecter l'auteur
dans sa façon de transcrire l'oralité.

Mise en pages et maquette de la couverture : Yvan Bienvenue
Correction des épreuves : Daniel Gauthier et Monique Forest
Photo de la couverture : © Bob Jagendorf, *Hat On Car Seat*

Nous remercions le Conseil des Arts du Canada
de l'aide accordée à notre programme de publication.
Nous remercions aussi la Sodec.

Dépôt légal : deuxième trimestre 2011
Bibliothèque et Archives nationales du Québec
Bibliothèque nationale du Canada

ISBN 978-2-89637-039-9

Martin Bellemare

LE CHANT DE GEORGES BOIVIN

Dramaturges Éditeurs

Ce texte a reçu le prix Gratien-Gélinas 2009 et a fait l'objet d'une lecture publique organisée par le Centre des auteurs dramatiques au Théâtre du Rideau Vert le 15 mars 2010.

George Boivin était interprété par Pierre Collin sous la direction de Gaétan Paré.

L'auteur tient à remercier Gill Champagne, Pierre Collin, Alain Jean, Gaétan Paré et Diane Pavlovic pour leur précieuse collaboration, ainsi que monsieur B. et madame S. à qui ce texte est dédié.

— Pardon, Monsieur. Vous n'avez rien contre la jeunesse?

— Si! Moi j'aime bien les vieux.

Jean-Luc Godard, *À bout de souffle*

GEORGES BOIVIN
On est quatre dans l'auto
Gérard y dit qu'on est comme un carré

Moi pis Jean-Pierre
On est en avant

En arrière
Y a Gérard pis Clément

C'est assez ironique que ça soit Jean-Pierre
Qui soit assis avec moi
Étant donné qu'y est rendu pas mal sourd
Pis qu'y dit pratiquement jamais rien
Mais c'est mon meilleur ami

Gérard y nous dit
«Des fois,
Quand je regarde en arrière,
Je suis capable de voir des étapes dans ma vie.
D'autres fois,
Rien.
Comme si toute ce qui était derrière moi
C'était arrivé à quelqu'un d'autre.
Tant pis.»

Moi
Je conduis
Comme si j'étais hypnotisé

Sur la «transe» canadienne
Y a des autos qui font crier leurs moteurs en nous
dépassant
Pis y a des chauffeurs qui klaxonnent comme des fous
Je les regarde pis je leur montre mon oreille
Comme si j'étais sourd comme Jean-Pierre
Mais Jean-Pierre doit être encore plus sourd que ça
Même quand on se fait klaxonner après
Y réagit pas

Clément y dit
Pis y parle comme un Français
À cause du cours classique qui y est resté collé après
Y dit
«Quand je vois mon arrière petit-fils
Qui apprend à marcher sur ses deux petites jambes,
Je me mets à délirer.
Je lui imagine une vie.
Je me dis
Qu'il ne se doute pas une seconde de tout ce qui va
le chavirer,
De tout ce qui va le transporter dans la vie.

En le regardant
Des fois je me mets à pleurer ou à rire,
Comme ça,
Tout seul.

Ma famille pense que je suis fêlé.
Ils me disent :
Voyons papa,
Voyons grand-papa.»

Pis là
Comme si y avait pas entendu
En coupant Clément
Gérard y dit

«Savez-vous ce qui m'est arrivé à matin, les gars?
Savez-vous ce qui m'est arrivé en me réveillant?»
Je regarde Gérard dans le rétroviseur
Personne dit rien
Non on le sait pas ce qui t'est arrivé Gérard
«Une érection!
Vous avez ben compris, les gars!
Une érection!
Naturelle, là!»

Sur les quatre
Y a juste Clément
Qui est pas veuf
Ou qui est pas célibataire

(Clément.) «Moi, de toute façon,
Mon arthrite ne me permet plus
Ce genre de mouvement.»
Clément
Y a quatre-vingt-douze ans

Jean-Pierre
Lui
Y sent que la conversation s'anime
Y suit avec ses yeux en sautant d'une face à l'autre
Pour voir les expressions de ceux qui parlent
Pour essayer de comprendre ce qui se passe

Moi je leur dis qu'y a pas longtemps
Je gardais un rythme d'une fois par mois

(Clément.) «C'est ça, Georges!
C'est ça, le cadet!
Profites-en de tes soixante-dix-sept ans!»

La moyenne d'âge dans l'auto
Ça doit être quatre-vingt-cinq à peu près

GEORGES BOIVIN

Ça fait trois jours qu'on est partis de la Tourelle
Saint-Sulpice
Un édifice à logements pour retraités
Presque juste des profs
On dirait une spécialité
Je venais de passer une autre nuit grise
C'est-à-dire qu'elle avait pas été blanche la nuit
Mais qu'elle avait pas été noire non plus
J'avais dormi deux ou trois demi-heures éparpillées

Quand la lumière du soleil s'était pointée
Par la grande fenêtre de la chambre à coucher
Au sixième
J'avais déjà décidé de partir le jour même

Depuis la mort de ma femme
J'ai pris l'habitude d'occuper le lit au complet
Le grand lit double au grand complet
Comme si le lit c'était une surface
Pis comme si le matelas c'était une quantité d'eau
En dormant
Je fais l'étoile
Parce que je sais pas nager
Pis je veux me garder en vie
C'est-à-dire que je veux pas me noyer

Des fois
À voix haute
Pendant la nuit
J'y parle
Dans ma position d'étoile
À ma Germaine
Germaine les Pommettes
Qui est encore pour moi la personne qui me connaît
le plus
Même si elle est pus là
Elle est morte à soixante-seize ans
Dans son sommeil
Y a un an
À côté de moi

Dans mon lit
Cette nuit-là
Je me suis demandé si c'était un écart
Ou une mauvaise conduite de ma part
Je me suis demandé
Si c'était un comportement pas correct
Parce que
Toute la nuit avant le jour du départ
J'avais pensé
Pas à Germaine les Pommettes
Non
Toute la nuit
J'avais pensé
À la première fille que j'avais eue dans ma vie
Juliette Chacal

GEORGES BOIVIN
«Est-ce qu'on arrive bientôt?»
Que Jean-Pierre me demande

Dans six ou sept jours
(J'y montre six pis sept avec mes doigts)
Clément
Comment qu'on dit jour en sourd-muet?
(Clément.) «Pourquoi?
Jean-Pierre ne sait pas le langage des signes
Et de toute façon
Il sait très bien dans quoi il s'est embarqué.»
Ça c'est pas complètement sûr
Pis là
Y a Gérard qui demande d'en arrière
«Y a-tu quelqu'un qui a de l'eau?... j'ai des pilules à
prendre.»
Y a Clément qui rajoute
«Oui. Moi aussi.»
Bon
OK
On va s'arrêter à prochaine halte routière

4

GEORGES BOIVIN
À cafétéria de la Tourelle Saint-Sulpice
Je me suis assis toute pimpant à table habituelle
Où y avait déjà
Qui déjeunaient
Gérard
Clément
Pis Gisèle — la femme de Clément

Avant même de prendre une bouchée
Je leur ai annoncé que
Tout de suite après avoir fini de manger je partais en
auto pour Vancouver
Y ont figé drette-là
La fourchette en l'air
La bouche qui arrête de mâcher
La main sur la tasse de café
Moi j'ai attaqué mon assiette
J'avais faim

Y ont ben essayé de me dissuader
De me convaincre de pas partir
Y ont voulu savoir pourquoi je voulais faire ce voyage-
là
À soixante-dix-sept ans
Je leur ai dit que Georges Brassens a déjà chanté

*Elle est la dernière que l'on oubliera / La première fille
qu'on a pris dans ses bras*

GEORGES BOIVIN

Faque on repart
Clément
En regardant dehors par la vitre d'en arrière
Y se dit
(Pis je l'entends
Tellement y le pense fort)
« Gisèle
Gisèle ma femme
Qu'est-ce que je fais ici ?
En route vers Vancouver
Quel con ! »
Ça c'est ce qu'y se dit
En me regardant
Moi
Georges Boivin
J'ai fière allure au volant
Avec le vent qui rentre par la fenêtre ouverte
Qui envoie les cheveux qui me restent par en arrière

De l'autre côté
En arrière de moi
C'est Gérard qui réfléchit
Comme pour répondre à Clément
« Je le sais que dans un jour ou deux
Dans un instant au mieux
Je vais avoir oublié ce que je vis présentement
Ça m'est arrivé tellement souvent. »

Ce à quoi les yeux de Clément
Le cœur de Clément
Répondent mentalement
« Je ne veux pas t'oublier !
Gisèle ! Qu'est-ce que je fais ici ?
Le temps qu'il me reste je veux le passer avec toi ! »

Jean-Pierre
Lui
Y se dit rien

6

GEORGES BOIVIN
Gérard y avait peur pour ma sécurité
Vu qu'y arrivait pas à me convaincre de pas partir
Y a décidé de venir avec moi

Gisèle
La femme de Clément
Elle a encouragé son mari à faire pareil
Pour pas avoir l'air de celle qui le retient

Quand le problème de l'auto a été soulevé
Y ont pensé qu'y s'en sortaient
Que
Sans auto
Le voyage avortait
Mais je leur ai dit
Mon ancien voisin me prête une des siennes
Je l'ai appelé à matin

(Clément.) «Tu lui as dit jusqu'où tu voulais aller?»

Y l'a pas demandé

Gisèle se disait que j'irais pas au bout du voyage
Que je ferais sûrement demi-tour avant la fin de la
première journée
Pis que
De même
Son mari reviendrait peut-être pour souper

En faite
Jusqu'au moment du départ
Gisèle pensait pas vraiment que le voyage aurait lieu

GEORGES BOIVIN
Qui qui a une bonne histoire à conter?
Je regarde dans le rétroviseur
Parce c'est pas Jean-Pierre qui pourrait faire ça
Conter une histoire

Personne dit rien
C'est pas vrai
Toute ma jeunesse
J'ai regardé les vieux
Avec de la fascination
Pis du respect
Je me disais
Y existent depuis ben plus longtemps que moi
Je les trouvais beaux
Mystérieux
C'est sûr qu'y ont plein d'histoires à raconter
Étant donné le temps que ça fait qu'y sont vivants
Je me disais quand j'étais jeune
Si je leur demande
Aux vieux
Les trois histoires
Les plus folles qui leur sont arrivées dans vie
Je devrais pouvoir me faire une bonne soirée
Pis me v'là
En pleine journée
Avec des gars qui sont au monde depuis au moins
Soixante-dix ans

Il regarde Clément dans le rétroviseur.
Dont certains que ça fait pas mal plus de temps que ça
Hein Clément !
Pis y ont rien à raconter ?
C'est-tu une blague ?

Gérard en regardant dehors y dit
« Des fois j'ai pensé que la vie c'était une blague. »
(Clément.) « Tu ne le penses plus ? »
C'est pas de ce genre d'histoire-là que je parlais mais
bon
(Gérard.) « Je pense plus beaucoup je pense.
La chanson de Léveillée
Plus le temps passe / Le moins je pense / Le plus je veille
C'est ça qui arrive.
C'est ça qui m'est arrivé, je pense. »
Peut-être que c'est parce que t'as trop écouté la chan-
son ?
Une sorte de surexposition
On peut tellement se convaincre de n'importe quoi
(Gérard.) « La vieillesse, ça te convainc de n'importe
quoi »
(Clément.) « Comme d'aller à Vancouver
Un an après la mort de la femme avec qui on a passé
sa vie
Pour retrouver une fille qu'on a connue soixante ans
plus tôt
Et penser tomber sur elle
Comme un cadeau en dessous de l'arbre de Noël... »

Comme d'aller à Vancouver ! Exactement !
Pis t'étais pas obligé de venir
Si tu voulais pas
Clément Vallières
Pis en passant
J'ai une adresse

Une adresse qui date de plusieurs années
C'est vrai
Mais c'est un point de départ
Et pis j'ai la foi

(Gérard.) «On va tourner religieux astheure?
Tu sens venir la mort, c'est ça?»

Je parlais d'une conviction
Je me suis peut-être trompé
Question de vocabulaire
C'est tout
J'ai dit la foi
J'ai peut-être mal choisi le mot
Mais j'ai une conviction

Pis c'est une conviction par rapport à la vie

La mort viendra bien en son temps
Je le sais
Mais elle a rien à voir avec notre voyage

GEORGES BOIVIN
La première fois que j'ai vu Juliette Chacal
C'était quatre cinq ans après la deuxième guerre
Dans des rassemblements d'amis
Nos deux écoles étaient pas trop loin
L'école normale pour gars
L'école normale pour filles
C'était ben normal qu'un jour on se voie

La première fois que j'ai vu Juliette Chacal
Elle parlait avec plusieurs de mes amis
Amis – i
Pis amies – e
Je l'avais remarquée
Je la suivais souvent des yeux
Plus je la croisais
Plus j'avais l'impression de partager quelque chose
avec elle

Je m'étais faite dire que cette fille-là voyait trois gars
en même temps
Je m'étais faite dire qu'elle avait un chum pis deux
amants
Pour l'époque
Ça y faisait toute une réputation

Mais
Plutôt qu'être
Découragé

Savoir ça
Ça m'avait confirmé
Le lien
Que je sentais avec elle

Un après-midi que j'étudiais à nouvelle bibliothèque
de la ville
Je l'avais vue passer dans l'allée
Elle allait
Dans salle où on peut parler pis travailler en groupe
Je l'avais suivie pas longtemps après
Juste pour la saluer
Un peu

Après ma petite visite
Où j'avais pas dit grand-chose
J'étais retourné à mon coin
Pis là je m'imaginais à répétition
Que Juliette Chacal arrivait à côté de moi
Pis qu'elle m'entourait la taille avec son bras
Pis là
Elle est arrivée
En faite elle allait aux toilettes
Elle a dit que c'était le hasard qui l'avait faite tomber
sur moi
J'y ai dit que je savais qu'elle allait venir
Mais j'y ai rien dit pour le bras ni pour la taille
Pis
Quelques jours plus tard
Dans une salle paroissiale
Où plein de monde se retrouvait pour fêter Noël qui
s'en venait
Avec de la liqueur pis des jeux de société
Pis des flasques d'alcool en secret
À fin de la soirée
Moi pis Juliette on s'est séparés en emportant chacun

un morceau de l'autre
Un peu des lèvres
Un peu du cœur aussi

Juliette embarquait avec d'autre monde
Dans une Ford
Ou dans une Buick

Moi
J'avais une Dodge D 24
Pis y fallait que je ramène plusieurs personnes chez
eux

Sur le chemin du retour
En conduisant
J'ai reçu pleins d'avertissements
Au sujet de la fille «de ce soir»
Ç'a l'air que c'était pas une fille pour moi
Était volage racoleuse pis ben ben d'autres affaires
Pendant ce temps-là
Dans une autre auto
Dans la Ford
Ou dans la Buick
Juliette entendait parler de moi
J'étais égoïste insensible inconséquent
Le lendemain
Pis dans les jours qui ont suivi
Juliette pis moi
On s'était toute dit

Les conseils de découragement de nos amis
Ça nous avait fait rire

Juliette pis moi on devenait une force
Je sentais une sorte d'énergie qui se développait
Une énergie entre moi pis elle

À peine deux semaines plus tard
Le 30 décembre de la même année
Juliette pis moi
On l'avait faite

C'était ma première fois

Ce qui était pas vraiment son cas

J'avais rien dit
J'avais voulu ce moment-là tellement souvent
Que j'y avais juste dit après
Que cette fois-là ça avait été ma première

« Encore ! » qu'elle avait soupiré

Juliette Chacal pis moi
On a été ensemble
Comme on peut être ensemble sans se marier en
1950
Ça a duré un an et demi
Environ deux ans
Mettons trois

L'avant-dernière fois que je l'ai vue
Elle portait ma veste de laine toute trouée

Après m'avoir raconté ses histoires
Avec les autres gars
Juliette Chacal m'avait annoncé
En enlevant ma veste ce soir-là
Qu'elle était décidée
Pis qu'elle s'en allait dans l'Ouest

Est partie
J'avais vingt ans environ
Mettons vingt ans et demi

GEORGES BOIVIN
Après le déjeuner
Je suis parti chercher l'auto chez mon ancien voisin
Une Toyota Corolla bleu ciel
Pis je suis passé prendre Gérard pis Clément
Devant la Tourelle Saint-Sulpice

On a pris la direction du centre hospitalier
Où Jean-Pierre a été placé par sa famille

Pour moi la permission de le sortir ou non du centre
C'était pas ben ben important
Je pouvais pas imaginer faire ce voyage-là sans lui
Moi pis Jean-Pierre
On se connaît
Depuis toujours
En plus
Y a connu l'époque de Juliette Chacal
Pis si Jean-Pierre entend presque pus rien
Y se souvient quand même de toute
Jean-Pierre
Y a une mémoire phénoménale

Clément pis Gérard y approuvaient pas
Sont restés assis dans l'auto

Je me suis annoncé comme un ami de la famille en
visite

Jean-Pierre s'ennuyait dans le salon à côté de l'entrée
C'était pendant la messe
Quand y m'a vu arriver au milieu de l'homélie
Son visage s'est éclairé
Je dirais pas que j'ai été habile
Y a eu un peu de fatras pour le sortir de là
Le bras en dessous du sien
J'ai aidé Jean-Pierre à monter dans sa chambre
J'y ai rempli une valise en y expliquant à peu près
Avec des dessins
Pourquoi on partait tout de suite
Je dessine pas très bien
Jean-Pierre comprenait toute à moitié
Mais y avait l'air de s'amuser
On est sortis en disant qu'on allait faire une prome-
nade
Jean-Pierre était parfait
Y souriait tout le temps

On s'est engouffrés dans l'auto
Comme si elle nous avalait
On aurait dit qu'elle avait faim
L'auto
Qu'elle avait faim de la distance qui nous attendait

GEORGES BOIVIN

Ça fait cinq jours
On roule presque toute la journée
Du bois du bois du blé du blé
Quand je suis fatigué
Je m'arrête pour dormir
Aux haltes routières
Eux autres y sortent jouer aux cartes sur une table à
pique-nique
Des fois
Y pensent que je dors mais je les entends
(Clément.) «On n'y arrivera jamais.»
(Gérard.) «Ça irait plus vite si y me laissait conduire.»
Pas question que je cède le volant
Jean-Pierre a pus son permis
Pis Clément voit pus assez bien
Y a juste Gérard qui insiste
Mais
Pas question
C'est moi qui a eu l'idée du voyage
Pis
Même si y a de la pluie
Même si y a de l'orage
C'est moi qui vas conduire
Durant le trajet au complet

Pas question que ça soit quelqu'un d'autre qui tienne
les rênes

J'aurais trop peur qu'y vire de bord pendant que je serais endormi

GEORGES BOIVIN
Moi pis Juliette Chacal on a faite un accident une fois
Avec ma Dodge D 24

Juliette
Elle dormait presque
Sur le banc du passager
C'était sur une artère principale
Un boulevard
La collision avait été latérale
C'est-à-dire que j'avais rentré dans le côté d'une auto
Qui traversait le boulevard
Pis qui avait pas fait son stop

Après le contact
Après les deux secondes qui en avaient eu l'air de quinze
Une fois que l'auto s'était immobilisée
Juliette
Elle s'était mise à crier
«On va exploser! On va exploser!»
J'y avais dit tranquillement
Ben non
On va pas exploser
J'y avais dit de sortir de l'auto
J'y avais dit
Calmement
Que j'allais sortir moi aussi

Que je ferais le tour de l'auto
Pis que je la prendrais dans mes bras

Avant que les remorqueurs embarquent l'auto
J'avais ramassé nos affaires
Pis j'avais enlevé le rétroviseur

Y se bougeait
Y était amovible
Sa vitre était brisée au milieu
Y avait une ligne d'en haut jusqu'en bas

Ce rétroviseur-là je l'ai gardé

GEORGES BOIVIN
Ça fait sept jours
On a loué
Une chambre d'hôtel
Proche de Calgary
Une chambre à deux lits doubles

Avant de s'endormir
On parle

Parce qu'en faite
Dormir
C'est pas notre fort

À l'âge qu'on a
C'est plus pour se reposer
Que pour dormir
Qu'on s'étend

En tout cas
Nous v'là toutes allongés
Moi j'ai les yeux fermés
Pis v'là Gérard qui me dit
Dans le noir
«T'as soixante-dix-sept ans Georges.
Même si t'a retrouves, Juliette Chacal,
Tu penses-tu qu'elle va se rappeler de toi?
Est peut-être ben ta première mais

D'après ce que j'ai cru comprendre,
T'étais loin d'être son premier.»
(Clément.) «La dernière fois que tu l'as vue,
Ça remonte à plus d'un demi-siècle!»
(Gérard.) «Est peut-être même morte.»
(Clément.) «Et Germaine, qu'est-ce qu'elle doit penser
de tout ça?»

Germaine
Germaine!
Mais est là Germaine!
Est avec nous autres depuis le début du voyage
Pis c'est parce qu'est là qu'on est ici!
Quand je vous parle
En faite
C'est surtout à elle que je parle!
T'entends-tu ça Germaine?
T'entends-tu
Mon amour?
Je répondrai pas pour toi
Réponds-leur
Ces gars-là sont sceptiques

Pis là
Y a comme un grand silence

GEORGES BOIVIN
Au matin du huitième jour
Dans chambre d'hôtel
Proche de Calgary
Clément se lève le premier
Y fait toute
Pour pas nous réveiller

Y va aux toilettes
Je l'entends
Y se met de l'eau dans face
Y ferme le robinet en douceur
Pis y sort de la chambre sur le bout des pieds

Y va sûrement se promener aux alentours

Y revient au bout d'une petite heure
Pis quand y revient
Y a une mauvaise surprise qui l'attend
La surprise
C'est qu'y a une ambulance à porte de notre chambre
La surprise c'est d'apprendre
Que Gérard est mort depuis quelques heures

GEORGES BOIVIN
Gérard
C'était
Un ancien prof d'histoire
C'est celui des trois qui a pensé à me demander
Avant qu'on parte
«L'adresse, tu l'as-tu vérifiée?»
L'adresse?
«L'adresse de Juliette qui date de cinquante ans,
Tu le sais-tu si elle reste encore là au moins?»

Non
J'ai pas vérifié

(Gérard.) «Tu le sais
Que depuis au moins vingt ans,
Y a quelque chose qui existe
Qui s'appelle Internet?
Qu'avec ça tu peux savoir
C'est qui qui reste à cette adresse-là aujourd'hui?
Tu peux même avoir le numéro de téléphone pis
appeler!»

Je le sais

(Gérard.) «On fait quand même pas le voyage sans
savoir?
Sans être sûrs de la retrouver, je veux dire?»

Pourquoi pas?

Y a rien répondu

Mais y est resté

> *Léger temps.*

Astheure
Le nez pis les oreilles de Gérard vont arrêter de pousser
Y les avait assez grandes les oreilles
Assez pour entendre
Je pense
Toutes les mots que je dis pas
Y l'avait pas très gros le nez
Mais y était assez gros
Je pense
Pour sentir
Que
J'ai besoin de continuer
Avec mes oreilles
Pis mon nez
Qui vont continuer de pousser

GEORGES BOIVIN
Gérard
Y est mort
Juste à côté de moi

Avec Germaine
Ça fait deux fois

Je vais finir par croire
Que je porte malheur
Pis je me dis
Qu'à force de dormir avec moi-même
Mon temps est compté

Jean-Pierre me regarde
Comme si y me disait
«Y est parti vite,
Gérard!»

Y est pas parti plus vite que les autres

Y a dû mourir
À même vitesse
Que tout le monde
L'instant d'avant
Y était vivant
L'instant d'après
Y est mort

Est-ce que j'ai quelque chose à me reprocher?

Je pense que Gérard tenait pus à rien
Y s'est laissé partir

Comme si y avait compris quelque chose
Clément
Quatre-vingt-douze ans
Y me dit
«J'ai décidé de raccompagner son corps.»
Bon
Je me doutais ben qu'à première occasion
Y en profiterait pour se faire la belle
Pis s'en retourner vers sa Gisèle
(Clément.) «De toute façon,
Il faut quelqu'un,
Ça va être moi.»
Jean-Pierre me regarde
Pour savoir
Ce que Clément vient de dire
La mort de Gérard
Ça nous faisait déjà tomber à trois
Avec Clément qui s'en va
On tombe
À deux
Pus de carré
Juste une ligne
Une ligne toute tracée
D'un point A à un point B

Gérard est mort
De pas avoir pris ses pilules
Y en avait pus
Pis là-dessus
Y nous avait rien dit

Jean-Pierre a fermé les yeux
Pis y m'a faite oui de la tête

J'ai faite une longue accolade à Clément
J'ai recommandé Gérard à Germaine les Pommettes
(Paix à son âme et à sa dernière érection)

Pis je suis embarqué dans l'auto
Avec mon ami de toujours
Un homme sourd qui parle presque pus

GEORGES BOIVIN
En traversant Calgary
Jean-Pierre pis moi
On en est
À s'organiser un système de communication rapide
Avec un crayon pis un peu de papier

Le fait que Jean-Pierre est sourd
Ça rend pas les échanges faciles
Faque
Si je veux aborder un sujet en particulier
J'écris à Jean-Pierre
Un indice de départ
Un genre d'idée générale
– Juste un mot ou deux
Parce que je conduis en même temps quand même –
Pis
Là-dessus
Jean-Pierre déballe tout ce qu'y sait
Jusqu'à temps que j'y fasse un signe
Ça
Ça veut dire qu'y faut qu'y approfondisse

Ça ressemble au jeu du chaud pis du froid
Aux poupées russes
Aux ronds dans l'eau

C'est pas comme une conversation
Mais c'est mieux que rien
C'est sûr qu'y faut pas être pressé

Finalement
Notre système de communication rapide est pas si
rapide que ça
Pis on utilise pratiquement pas de papier ni de crayon
Par contre
Ce qu'y a de bien
C'est que Jean-Pierre s'est mis à parler

Ironiquement
C'est moi qui deviens presque muet

GEORGES BOIVIN
En conduisant
J'écris le prénom de Juliette Chacal
Juliette
Jean-Pierre prend le papier
Lit
Pis se met à sortir tout ce qui y vient à l'esprit

(Jean-Pierre.) «Juliette?
On va voir à Vancouver si elle est là,
Si elle existe encore?
On va voir si le passé existe encore,
Est-ce que c'est ça, Georges?»
Moi je continue de regarder la route pis les mon-
tagnes autour
Pas de signal

«Juliette Chacal,
Est-ce qu'elle a le même âge que toi?
Y me semble que oui
Sinon, elle a un an plus jeune
Ou un an plus vieux.
Je me rappelle qu'elle a marié un Asiatique
Dans les années soixante,
Un gars de Vancouver,
Tu m'avais dit ça.

La dernière fois que tu l'as vue,
C'était à l'enterrement de sa mère

Elle était redescendue
Pour être là.

Gérard est mort,
Tu te rends-tu compte?

Bon
Juliette Chacal
Excuse-moi
Elle avait les seins bombés
Pis les fesses aussi.
Elle avait
Les cheveux raides
Elle avait
Souvent les cheveux attachés
Elle avait
Les cheveux roux
Des bottes de cow-boy
Oui des bottes de cow-boy
Pis des yeux doux.
Elle avait
Elle avait
La vie dans ses doigts
Dans ses yeux
Elle avait tous les droits
Elle prenait
Ce qu'elle voulait
Qui elle voulait.

Est-ce que je suis sur la bonne voie?»

Moi je fais pas de geste

(Jean-Pierre.) «Juliette Chacal
Est-ce qu'on sait ce qu'elle a pu penser
Pis vivre
Depuis la dernière fois où tu l'as vue?»

J'y frappe le bras

«Quoi?
Ah oui, c'est le signal
Heu, ce qu'elle a pu penser
Pis vivre depuis la dernière fois où tu l'as vue?
Je sais pas:
Elle a pu se dire
À peu près tout ce que quelqu'un de notre époque a
pu se dire.
Qu'est-ce qu'elle a pu se dire de particulier?
Je sais pas
Est-ce qu'est encore mariée?
Est-ce qu'elle a eu des aventures?
Son mari est-tu mort?
Est-tu divorcée?
Est-tu amoureuse présentement?
Je sais pas moi,
Est-tu en couple?
Juliette Chacal
Juliette Chacal
Elle est en maison de retraite pis elle souffre
d'Alzheimer
Ou
Elle se berce
Dans une chaise
Sur un balcon du littoral Pacifique
En se demandant ce que t'es devenu.»
Là je serre le bras de Jean-Pierre tellement fort
Qu'y peut juste comprendre qu'y va perdre son avant-
bras si ça continue
Y peut juste comprendre que
Ça
C'est encore le signal
Qu'on se rapproche
Qu'on se rapproche

Je peux pas me retenir
Je me retourne vers Jean-Pierre
Pis c'est à ce moment-là
Qu'on a compris qu'y pouvait peut-être lire sur les lèvres
Parce que je l'ai vu
Qu'y a très bien compris que j'y ai dit

(Muet.) Tu penses-tu qu'elle se rappelle de moi?

GEORGES BOIVIN
Jean-Pierre me répond
«Est-ce qu'elle se rappelle de toi?
Après 50 ans, Georges?
Je sais pas
Si toi tu te souviens d'elle
Je vois pas pourquoi
Elle
Se souviendrait pas de toi.

Ce que je sais à propos de Juliette Chacal
C'est toi qui me l'a conté.
Je l'ai connue
C'est vrai
Mais c'est toi le lien,
On était proches à cette époque-là.

Regarde!
Vancouver dans cent quarante kilomètres.»

On roule en plein milieu des Rocheuses
Entre les murs de roc pis les précipices
Entre les lacs vert émeraude
Pis la neige des sommets

(Jean-Pierre.) «On se voit moins souvent
Y arrive moins de choses
Y a moins à dire

Mais on connaît nos parcours
Pis là
Tu m'écoutes.

Tu vois
Je veux dire
Le voyage
Je dirais que ça me rend vivant.

Est-ce qu'on est moins proches aujourd'hui?
Non
On est encore plus proches
Dans le voyage
Au présent.
Merci,
Merci Georges. »

Pis là
Jean-Pierre ouvre la fenêtre de l'auto
Pis y se sort la tête dans le vent
Jean-Pierre est vivant

GEORGES BOIVIN
J'écris Germaine les Pommettes sur une «nappequine»

(Jean-Pierre.) «Les Pommettes?
C'est ta femme.»

Y se demande où je veux en venir

«Est morte y a un an.

À ce que je sache vous avez jamais été mariés
Mais
Tu m'as déjà dit que vous vous étiez dit oui
En secret
Comme à un mariage secret

C'était quoi?

Une sorte de mariage
Qu'y a pas d'autre célébration
Que chaque jour qui vient.

Tu m'as déjà dit
Quelque chose
Comme
Que de le dire trop fort
C'était dangereux,

Que de le dire aux autres
Ça aurait été comme de le détourner.»

Là je frappe le tableau de bord avec mon poing

Ce que tu dis
Ça m'énerve
Ce que tu dis
C'est encore loin de ce que je veux parler

(Jean-Pierre.) «Est-ce que je peux deviner, moi, ce que t'as dans tête?
Je peux pas tomber pile dessus.
Vieux con!»

    Malaise.

On file sur Vancouver
Jean-Pierre a soixante-dix-huit ans
Y est né au mois de janvier
Moi je suis né au mois de septembre de la même année
En 1932
Germaine les Pommettes
Est née au mois d'août de l'année d'après

GEORGES BOIVIN
Jean-Pierre
Lui
Y boude pas

(Jean-Pierre.) « Parle
Je peux lire sur tes lèvres. »

Essaie donc

(Jean-Pierre.) « Essaie donc ! »

Ha !

    Léger temps.

Je finis par y demander

Tu penses-tu que

Penses-tu que Pommettes est pas d'accord avec le
voyage qu'on fait ?

    Léger temps.

(Jean-Pierre.) « Je comprends ta question
Mais je pense que le plus sage, c'est de te dire
Que je sais pas.

Je sais pas, ami Georges,
Ce qu'elle peut penser Germaine les Pommettes

Parce que je connais pas son état.

La mort, c'est quelque chose que j'ai jamais essayé.

Ce que je peux te dire c'est
Que je trouve ça drôle
Parce qu'en faite
J'ai la possibilité de toute dire
J'ai une bouche
J'ai des poumons
J'ai de l'air

Mais ce que je veux te dire Georges
C'est du réchauffé
Du genre que Germaine veut le meilleur pour toi
Peu importe où elle est.
Elle t'aime
Elle est morte en t'aimant
Je pense qu'elle veut que tu sois bien.»

   Silence dans l'auto.

Y a le vent qui siffle sur le rebord de la fenêtre
Sur le bord de la fenêtre à moitié ouverte d'une auto
en mouvement

   Léger temps.

«Vancouver 36 km!» qu'y crie Jean-Pierre
Comme si y avait voulu nous sortir
De la «transe» canadienne d'un coup sec

(Jean-Pierre.) «Je me demande
De quoi Juliette Chacal a d'l'air aujourd'hui.

On va peut-être le savoir
Je veux dire
Si on peut la retrouver.»

On va la retrouver

«C'est fou comme tu peux être positif.
Si jamais elle est encore vivante
Y a pas ben ben de chances qu'elle habite encore à
vieille adresse que t'as
Qui date de cent ans!»

Vancouver en vue
Derrière nous les montagnes
Les buildings devant
L'océan
Vancouver en vrai

Comme si y y croyait pas
Jean-Pierre y dit
«Elle a peut-être déménagé
Peut-être qu'elle habite même plus cette ville-là.
Elle habite en Ouganda
Aux Îles Canaries
Ou au Guatémala.»

Écoute
Le prof de géo
On va commencer par aller à l'adresse que j'ai
Sinon
Y aura toujours le bottin

GEORGES BOIVIN
J'ai arrêté l'auto sur le bas-côté
D'une rue du West End de Vancouver

(Jean-Pierre.) « Qu'est-ce tu fais ?
On sait comment y aller. »

À une lumière
J'avais baissé la fenêtre
Pis
Dans un anglais ben moyen
Pour la troisième fois
Je m'étais informé du chemin
De la rue
De comment me rendre
Left to the light
Then right
Two streets
Then left

C'est vrai qu'on est à côté

Jean-Pierre me tire par le bras
« Regarde-moi ! »

On dirait que j'ai peur

(Jean-Pierre.) « De toute façon
On est presque sûrs de pas tomber sur elle. »

Mais j'ai pas peur de Juliette Chacal

(Jean-Pierre.) « De quoi t'as peur d'abord ? »

Je sais pas

(Jean-Pierre.) « Je pensais que tu voulais la revoir. »

Je sais pus

(Jean-Pierre.) « C'est difficile d'oublier que c'est à deux minutes d'ici. »

Oui
Oui

(Jean-Pierre.) « Faque ? »

On y va

Je ferme les yeux
Je les rouvre
Pis je rentre dans le trafic
Dans le genre de Georges Boivin
Soixante-dix-sept ans
Dans le plein cœur de Vancouver
Reçu par un concert de klaxons

22

GEORGES BOIVIN
On stationne devant l'adresse que j'ai
L'adresse de Juliette Chacal
Qui date de cinquante ans environ

C'est là oui c'est là
C'est là oui c'est là
C'est là

Je demande à Jean-Pierre
De m'accompagner jusqu'à porte
On cogne
On sonne
Ça répond pas

En retournant à l'auto
Y a un voisin qui nous dit
«Miguel lives there, Miguel Cedeno.»
Un Latino?
Ça concorde pas
Juliette Chacal avait marié un Asiatique

Miguel
Y a une femme?
«Yeah
Name's Rosita.»
Ça fait longtemps qu'y z'habitent ici?
«Ten years approximately.»
Pis vous
Pour avoir un beau terrain de même

Ça doit faire longtemps que vous êtes là
« Since 1980
First year
The neighbour was a Black American teacher
Had two children
The children were her's though
A little boy and a little girl
With an Asian look
But the mother was white skinned
My wife tought
Their group of four was terrific to see. »

Comment elle s'appelle ?

« My wife ? Helen »

Non
No
Pas votre femme
The woman
Qui habitait à cette adresse-là

« I don't remember well. »

Quand y ont déménagé
Sont allés où ?

« All the family broke apart.

It has been many years now.

For all I know
The children went back to their real father.
The teacher was heading to the States
And the wife

I don't know. »

GEORGES BOIVIN
Retrouver Juliette Chacal c'est plus compliqué que
je pensais

En faite
C'est comme si j'avais pas voulu y penser
Que la vie est remplie de détails
De plein de détails qui font un parcours unique à
chaque personne

Probablement que Juliette
Pourrait jamais imaginer le parcours de ma vie à moi

Je peux me rappeler
Qu'après dix ou douze ans
Après que Juliette soit partie dans l'Ouest
Je l'avais revue
Elle était revenue pour l'enterrement de sa mère

Cette fois-là
Elle m'avait demandé
«Essaie de deviner ce que je fais maintenant.»
Après quelques secondes
J'avais répondu
«Coiffeuse?»
Elle m'avait regardé un peu incrédule
J'étais tombé pile dessus

GEORGES BOIVIN
Après avoir remercié le voisin
On remonte dans l'auto
Qui a une licence enregistrée dans province de Québec
Je me souviens

Y a une trentaine d'années
J'aurais peut-être dit
L'adresse est pas bonne
Pas de problème
Je connais quelqu'un qui connaît quelqu'un qui connaît
quelqu'un
Qui peut nous aider
J'ai juste à appeler interurbain
Passe-moi le téléphone

Mais
Comme l'espace
Le temps est une distance

Un jour
Ça fait tellement longtemps qu'on a vu quelqu'un
Ou entendu dire quelque chose de lui
Que ce quelqu'un-là existe pus
On a perdu sa trace
Pourtant on sent ben qu'y est là
Quelque part en nous
Comme une terre perdue

Pis
Même si une terre
Ça disparaît pas de même
On serait incapable
De la situer sur notre carte du monde
De mettre le doigt dessus

(Jean-Pierre.) «Faque le bottin, c'est notre dernière chance?»

GEORGES BOIVIN

Est-ce que ça existe
Un film interdit aux cinquante ans et moins?
Est-ce que ça se peut quelqu'un qui a aucune trace
de son existence sur Internet?
Est-ce que ça existe quelqu'un qu'on peut pas retrou-
ver?
Est-ce que ça se peut dans vie retrouver des mo-
ments
C'est-à-dire exactement les mêmes?
Est-ce que ça existe des ondes d'amour?

GEORGES BOIVIN
Dans le bottin de la ville de Vancouver
On trouve rien qui vaille

Le nom de famille Chacal
Apparaît même pas

Pis toutes les autres noms de famille pouvant être
portés par Juliette
On les connaît pas
La recherche est courte

Je fais une tentative du côté commercial
En me rappelant le travail qu'elle faisait Juliette
Que j'avais deviné cinquante ans plus tôt
À l'enterrement de sa mère
Coiffeuse

Là non plus le bottin aide pas

On part faire une recherche sur Internet
Assistés par une bibliothécaire
Qui nous assure qu'on va trouver ce qu'on cherche

Mais ç'a pas marché

Depuis qu'on a rien trouvé
On est remontés dans l'auto

Pis
Comme des gardiens
On garde le silence

Jean-Pierre regarde dehors

Léger temps.

Sans le consulter
Je démarre
Je prends la direction du centre-ville

Tout droit pendant dix minutes
Pis je tourne à gauche
Je suis le courant
Pis encore à gauche
Pis je tourne à droite
En conduisant l'auto
Je critique
Je chiale
Je bougonne
En pensée
Je me fonde un mouvement qui veut faire exploser
Toutes les routes

Soixante-dix-sept ans
En plein cœur de Vancouver
Je veux faire éclater des révolutions
Je tourne à droite
Pis encore à droite
Pis encore à droite
Pis encore à droite
Pis je tourne à gauche
Pis encore à gauche
Pis encore à gauche
Pis encore à gauche

Après
Je tourne à droite
Germaine les Pommettes m'a souvent dit qu'elle
aimerait ça
Avant de mourir
Ouvrir une boutique de fleuriste
Mais Pommettes est morte
Oui
Pommettes est morte
Mais au volant d'une auto
Dans le centre-ville de Vancouver
À la recherche de Juliette Chacal
C'est le souvenir de Pommettes qui me guide
Une boutique de fleuriste
C'est pas ça ce que je cherche
Mais c'est ça que je vais trouver
Une boutique de fleuriste
Avec un nom francophone probablement
Je peux déjà imaginer l'enseigne
Je tourne encore à droite
Pis encore à droite
Sur une grosse artère à sens unique

Pis c'est là que je vois les mots «Fleurs de Pomme»
sur une devanture
Ces mots-là en français
Accompagnés d'un bouquet
Je freine
Dans le milieu de la circulation
Y a des klaxons
Je suis habitué
Je descends
Je m'enligne sur la petite boutique de fleuriste
En un coup de vent
Je suis dedans

L'intérieur est calme
On est bercés doucement par une musique de piano

Je vois
À quelques mètres
Proche du comptoir
Une femme
L'âge avancé
Qui se balance tranquillement sur une chaise
Je m'avance vers elle
Elle relève la tête

Le temps est pas suspendu
Au contraire
On le sent passer
Mais vraiment très lentement
La femme aux cheveux blancs
Me regarde
M'étudie
M'inspecte
M'épluche
Je le vois
Qu'elle m'enlève les années
Une à une
Sans les compter
Une à une
Pis après
Elle me les remet
Toutes d'un coup
Mais tout doucement

Pis y a rien d'autre qui compte
Y a rien de plus important
Que de l'entendre me dire
Du bout de son petit sourire
«Georges?

Georges
C'est toi?»

C'est misérable
Je le sais
C'est misérable
Mais j'avance jusqu'à elle
Pis je m'écroule

Ma tête tombe sur ses genoux
Je m'enfonce la tête dans ses cuisses en pleurant
Juliette Juliette
J'ai perdu ma femme

Depuis que je l'ai perdue
À chaque jour je perds ma femme
Tu comprends
J'existe pus
Je suis perdu
Personne comprend les années que j'ai derrière moi
Personne me connaît vraiment
Juliette
J'ai perdu ma référence au monde

Juliette Chacal
Soixante-dix-huit ans
Un peu ronde
Me flatte la nuque
Me caresse les cheveux qui me restent
En me disant
«Ici
Ici»
Pis moi je continue d'avouer
Tout ce que j'ai pas osé avouer durant le voyage
Juliette
J'ai peur de mourir

Je pense que j'ai peur de mourir
J'ai peur de pus être là pour personne
Juliette Chacal me flatte la nuque
Me caresse la tête en me murmurant
«Ici
Ici»
Comme on dit chhh

Là-dessus
Jean-Pierre entre dans boutique de fleurs
Y s'empêtre la tête dans une plante suspendue
Pis y s'immobilise
Comme ça
Devant le comptoir
D'où y peut juste regarder
L'issue de l'histoire
Dans laquelle y a trempé

Devant lui
Le spectacle de son ami Georges
Perdu pis retrouvé pis éperdu encore

Jean-Pierre garde la position debout
À quelques mètres de nous
Muet
C'est là qu'un troisième homme sort du *back-store*
Un vieux
Que j'ai jamais vu
Avec une canne pour l'aider à marcher
Y a un air menaçant
Pis on dirait
En le regardant
Que la canne pourrait tout aussi ben devenir une arme
Y demande à sa femme
«What's all that fuss?»

Cet homme-là a
Quatre-vingts ans ben frappés
Un vieux guerrier
On dirait que
Cet homme-là a
Dans la poitrine
Son cœur comme un fusil chargé
Y y reste juste une balle dans le barillet
Après toutes les années pis les conflits
Y y en reste juste une
Parce que son cœur a beaucoup tiré pendant sa vie
Avec ses yeux de vieux routard
Y inspecte
La scène
Comme on affile une épée
Juliette Chacal a à la bouche un sourire doux plein
d'expérience
Elle dit
«Ici ici»

Tout ce qu'on voit a un passé
Pis
Je sais pas ce qui va arriver

Je regarde Juliette Chacal
Y a peut-être juste moi pour trouver qu'elle a pas
changé
Je regarde Juliette Chacal
Pis dans ses yeux
Y a Germaine les Pommettes qui me fait un clin
d'œil
En me disant
«Ici ici»

Y a Jean-Pierre qui avance un peu
À peine

Mais qui renverse une plante du bout du pied
Y a le vieux guerrier
Menaçant
Qui répète
«What's all that fuss?»
«What's all that fuss?»
Pis
Je sais pas ce qui va arriver

Si je vais ramasser la terre du pot que Jean-Pierre a renversé

Ou
Si je vais rester
À genoux
À regarder
En pleurant
Le visage de Juliette Chacal

Ou
Si je vais me relever
La prendre par la main
Pis la ramener avec moi jusqu'à l'auto
Pour qu'on reparte à deux
Ou à trois si on emmène
Jean-Pierre avec nous autres

Ou
Si je vais recevoir
Sur le dos
Un coup de canne ou deux
Ou mieux
Un coup de canon guerrier

Je sais pas

Je sais pas ce qui va arriver

Mais ce que je sais
C'est
Que j'ai retrouvé l'avenir

Oui

J'ai retrouvé l'avenir

FIN

AUSSI CHEZ DRAMATURGES ÉDITEURS

RECYCLÉ
Papier fait à partir
de matériaux recyclés
FSC® C103567

Marquis imprimeur inc.

Québec, Canada
2011

Imprimé sur du papier Silva Enviro 100% postconsommation
traité sans chlore, accrédité Éco-Logo et fait à partir de biogaz.